Max  en

**La Petite Ecole
de Canterbury**
tel : 07943 272384
petiteecole.canterbury@ymail.
co

Série dirigée par Dominique de Saint Mars

© Calligram 2006
Tous droits réservés pour tous pays
Imprimé en Italie
ISBN : 978-2-88480-307-6

Ainsi va la vie

Max
ne respecte rien

Dominique de Saint Mars

Serge Bloch

CALLIGRAM

CHRISTIAN GALLIMARD

* *Roméo et Juliette est une pièce de théâtre écrite par l'auteur anglais W. Shakespeare.*

7

Dégage minus, j'ai faim !

T'en profites !

Rien à dire, c'est moi le plus grand !

Viande pour moi !

Ici ce n'est pas la loi du plus fort ! Et on dit s'il vous plaît !

Ça va, vous n'êtes pas ma mère !

Retire ça tout de suite ou tu es puni.

Bon, excusez-moi, voilà !

8

Max... c'est pas ma faute si Juliette ne s'est pas mise à côté de toi ! C'est la plou-belle de ta vie, mais tu es la poubelle de sa vie !

C'est méchant, Lili !

Tu me le paieras !

*Voir le livre Max embête les filles !

11

12

13

Vite, Max, le bus !

Tu ne rentres pas avec moi ?

Non, Jérôme, on va chez Popi et Mamie, mais on se verra demain. Rendez-vous à la cabane à trois heures ?

Ok ça roule ma poule ! Shake !

Je viendrais peut-être à la cabane... Max !

15

Madame, vous voulez ma place ?

Non, non, ça va ! Je ne suis pas si vieille que ça !

Tu as vu ça, elle s'en fiche, la vieille dame. Ce qu'elle veut, c'est être jeune !

Elle n'a pas de cheveux blancs ! On ne sait plus quel âge elles ont, les vieilles personnes !

Salut Mamie!

Dis donc, on ne dit pas salut à sa grand-mère, Max ! On dit bonjour Mamie !

Salut les enfants !

Ah... Chacun SA place... Chacun SES droits !

18

19

Max !!!! Tu sais combien de temps ça m'a pris de plier tout ce linge ? Tu crois que je n'aimerais pas mieux me reposer un peu... ?

Oh, Maman... J'ai pas fait exprès... Le canapé rebondit tellement bien, c'est rigolo !

Eh bien moi, je ne trouve pas ça rigolo du tout, il faut que je recommence !

Désolé Maman, je ferai attention la prochaine fois !

C'est ça ! Compte dessus ! C'est vraiment un « boulet » ce Max ! Il n'arrête pas de me faire honte, ton fils ! C'est un porc !

Hé, doucement, Lili ! Ne parle pas comme ça de ton frère, c'est méprisant ! Un peu de respect !

Et LUI respecte ton travail, ÉVIDEMMENT !

Tu ne me parles pas comme ça, Lili...

Et tu as déjà remarqué comment, moi, j'étais avec Mamie ?

C'est vrai ! Tu lui donnes toujours le morceau de poulet qu'elle préfère...

Respecter les autres, c'est encore le meilleur moyen de se faire respecter !

À table !
C'est prêt !

Max ! Tu pourrais attendre que tes grands-parents soient assis !

Mes respects, Mamie !

? !

23

Papa, MOI et TOI, on avait dit qu'on irait au ciné ! C'est quand ?

Monsieur « MOI D'ABORD », on ira au ciné TOI et MOI ! Je tiens mes promesses, enfin j'essaie !

À l'école, j'ai eu un contrôle sur la leçon que...

Eh ben moi, en poésie, elle m'a dit que je bafouillais moins.

Max, tu vas nous raconter ça, mais laisse finir Lili... On t'écoute Lili !

Oh, c'est toi Popi ? Mais qu'est-ce que tu fais là ?

Je voulais discuter avec toi, mon petit bonhomme !

Pourquoi ? C'est à cause de la médaille de judo que je t'ai prise ?

Je ne savais même pas que tu me l'avais « empruntée » !

Justement, je voulais te parler de tout ça, Max ! Je peux m'asseoir ?

Installe-toi, Popi !

29

Je t'ai attendu, j'avais tout préparé ! Tu ne m'as pas prévenu et je te retrouve ici avec Koffi ! Je compte pour du beurre moi ??? C'est ça ?

Pas fait exprès, j'ai pas vu l'heure, sorry !

35

Maman, est-ce que je peux aller chercher le pain ?

... Et j'aurais peut-être un petit bonbon...

Dis, Maman, on nous l'a changé... !

Trois baguettes !

Je crois que Monsieur était avant vous, désolée !

J'ai envie de l'embrasser, la boulangère !

Euh, oui... C'est à moi... mais si Monsieur est pressé...

Mais non... Je vous en prie... Monsieur...

Une baguette bien cuite, s'il vous plaît ! Merci, au revoir madame, encore merci !

Et toi...

Est-ce qu'il t'est arrivé la même histoire qu'à Max ?

Tu ne penses pas à ce que ressentent les autres ?
Tu t'en fiches ? On dit que tu es méprisant ?

Est-ce qu'il y a des gens que tu ne respectes pas ?
Sais-tu pourquoi ?

Es-tu agressif envers les autres ?
Parce que tu as peur d'eux ? Pour voir si on t'aime ?

Pour toi, se faire respecter, c'est se faire craindre ?
Et respecter, c'est se faire avoir ?

Tu ne te sens pas respecté ? Es-tu humilié ? Dans ta
famille, à l'école ? As-tu eu envie de te venger ?

As-tu été puni ? As-tu compris pourquoi ?
As-tu su réparer ton manque de respect ?

Respecter, c'est quoi pour toi ? Ecouter, avoir de l'attention,
de l'estime ? Suivre les règles pour vivre ensemble ?

Trouves-tu que tu as de la valeur ? As-tu confiance
en toi ? Sais-tu t'excuser quand tu as tort ?

Peux-tu dire NON à quelqu'un que tu respectes,
si ce qu'il te demande te gêne, te semble injuste ?

Ne penses-tu pas que, parfois, pour respecter,
il faut désobéir ? Trouve un exemple !

Es-tu respecté ? Par tes parents ? Tes frères et sœurs ?
À l'école ? Qui te respecte le mieux ? Que ressens-tu ?

Es-tu choqué par le manque de respect ? Des adultes ?
Des enfants ? Dans la rue ? À la télé ? Dans le sport ?

Petits conseils Max et Lili
sur le respect

• Le respect, c'est la politesse, bonjour, merci, mais aussi les petits signes, les petits gestes qui montrent à l'autre qu'il existe : c'est le contraire de l'indifférence !

• On respecte les personnes, et aussi l'environnement, les animaux, les lois, ce qui appartient à tous, ce qui appartient aux autres.

• On est tous différents : les filles, les garçons, les petits, les grands, les gros, les maigres, les noirs, les blancs, les handicapés, les malins, les distraits, les fragiles, les musclés… et on a tous droit au respect !

• Fille ou garçon, il faut se respecter, sans utiliser la force ou l'humiliation et apprendre à se connaître.

• Les enfants ont droit au respect de leurs parents et de leurs professeurs, mais ils doivent aussi les respecter.

• En sport, fais de ton mieux et sois bon joueur. Gagnant ou perdant, tu gagneras le respect de l'autre !

• Les problèmes ne sont pas résolus par la bagarre et les insultes, mais par le respect et l'écoute.

• Ne reste pas indifférent : si tu es témoin ou victime d'une injustice, proteste, parles-en !

• Les grands ne doivent pas abuser de la faiblesse des petits. C'est à eux de donner l'exemple et de les aider.

• Respecte-toi ! Ça se verra ! Et les autres te respecteront !